LEVANTE

LEVANTE

Henrique Marques Samyn

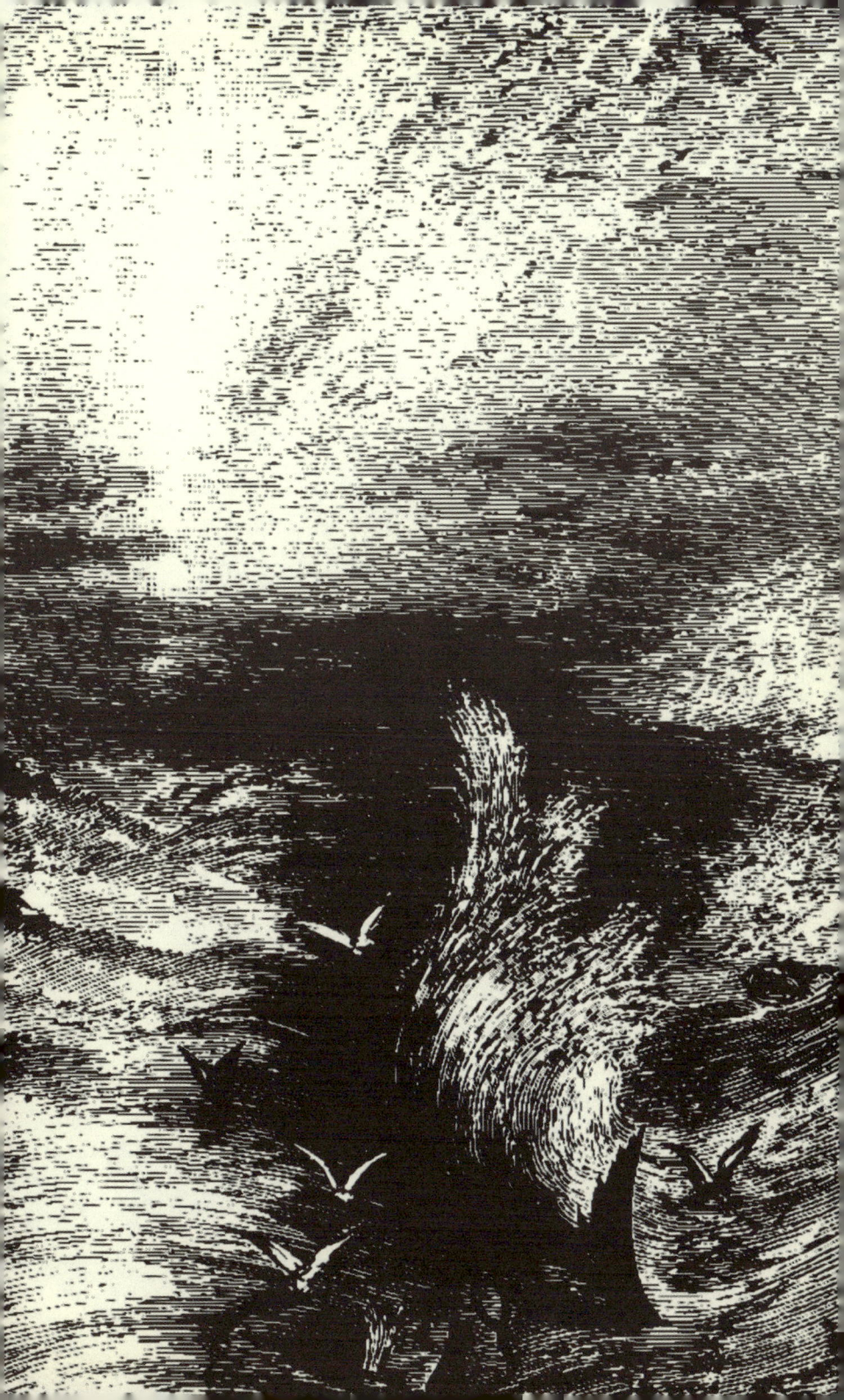

Se a luta é justa, a queda é sempre falsa

POR Cidinha da Silva

Dividido em seis partes — "Desterro", "Cativeiro", "Ancestralidade", "Resistência", "Herança" e "Liberdade" —, este *Levante*, de Henrique Marques Samyn, proporciona um túnel do tempo que tanto pode ser trafegado do passado para o presente, quanto deste para aquele. Nos dois caminhos, nossa memória ressoa e amplia os sentidos de compreensão dos mundos forjados por nossos ancestrais e por (para) nós.

Trata-se de um mosaico que recobre cinco séculos de luta do povo negro para existir. O livro constitui poderoso artefato de rejunte histórico para juventudes negras que, bombardeadas por muita informação dispersa e pouco qualificada, leem o mundo na chave da superficialidade (marca desse tempo), prescindindo da captação ampliada da experiência que o mergulho na historicidade dos processos nos permite.

Não vi abordagens similares na literatura brasileira, desde dentro da humanidade negra, não. De outros pontos negros de vista saltam os trabalhos de Paulina Chiziane (*O canto dos escravizados*) e Léonora Miano (*A estação das sombras*). Escritoras de Moçambique e Camarões respectivamente que, na condição de mulheres africanas, guardam uma memória dos horrores da escravização ainda em África, no momento da captura, do sequestro, do desenraizamento de pessoas de seu lugar de origem, da devastação emocional de quem ficou e não sabia o que estava acontecendo, dos que conseguiram escapar, mas perderam familiares e amigos.

Samyn, poeta-escafandrista, explora com destemor as galerias de água das cavernas sagradas de nossas dores e de nossa coragem. Fica evidente a pesquisa de uma vida inteira, aquela escavação existencial, além da análise histórica que nos apresenta Luzia Pinta, Viriato, Isidoro, Luzia Soares, e também os conhecidos Dandara, Lucas Dantas, Felipa, Luiza Mahin, Luiz Gama, entre outros. Investigação consubstanciada na experiência reveladora e encantadora de viver a ancestralidade no cotidiano, nas mínimas coisas constitutivas do nosso imaginário a partir da passagem atlântica e de como arquitetamos aqui, na diáspora, relações de conexão profunda com nossas origens e de distanciamento aparente da natureza, das divindades, do conhecimento ancestral que garantiu nossa sobrevivência espiritual, justamente para preservá-lo. Uma pesquisa que faz a reversão de lugares-comuns que buscam nos esvaziar de humanidade e de liderança, como tentaram fazer com Ganga Zumba.

O poeta consegue construir beleza formal tendo o horror como material literário, como no poema "Pretos novos". "Tricongo", entre os poemas mais metafóricos, provoca sensações aterrorizantes; noutros tantos, existe uma profundidade de reflexão e de síntese que vem de África, que nos lembra o que fomos e nos ajuda a compreender quem somos. Ao mesmo tempo, os poemas da parte "Cativeiro" nos apresentam a memória de um tempo que talvez não ousemos imaginar. Nós que experimentamos perplexidade diante das imagens romantizadas de Debret, das telenovelas de época (ambientadas no sistema escravista colonial), confrontamos nos poemas de Samyn a dor do ser humano em suplício, como uma "estátua de carne", algo imóvel — neste caso, algo imobilizado como "uma estátua que vive".

No poema "Golilha", as ferramentas de tortura não aniquilam a humanidade dos torturados como nos acostumamos a ver nos museus coloniais da escravização no Brasil. A poética de Samyn grita, esbraveja que todo tipo de açoite e tortura sofrido foi em busca de liberdade, foi castigo cruel imposto àqueles que buscaram ser livres. O poema "Suplício" é outro exemplo contundente. Peço licença a Samyn para usar uma referência contemporânea do significado do poema em mim, e também aproveito para homenagear o ator Chadwick Boseman, que nos deixou precocemente. "Suplício" subverte a lógica do título e nos presenteia com uma espécie de "*Wakanda forever!*". Nosso lugar altivo de refazer as energias, de reconhecer de onde viemos, que nos localiza onde estamos e para onde vamos.

"Traição" é palavra recorrente no *Levante* de Samyn; talvez ela nos indique a necessidade de autocrítica, porque quem trai são os amigos, aqueles do mesmo campo. Quem está do outro lado da trincheira não trai, faz o que se espera do inimigo.

No poema "Lucas da Feira", diz a voz lírica: "O que com as negras fizestes / com vossas mulheres farei (...) Que, ao virdes o horror, vos lembreis / das negras que à força tomastes" (...). Versos que incomodam e sugerem aos leitores mais críticos a possibilidade de uma leitura de gênero; afinal, quando foi na História que os homens brancos se solidarizaram com as mulheres de seu grupo racial (ou com quaisquer outras) porque elas foram sexualmente violentadas?

Meu poema preferido é "Pretinhos", a síntese do percurso referido no início deste texto, a súmula do que somos, de como vivemos e inventamos jeitos de existir.

Percebemos em *Levante* uma poética de alteridade e autoridade que a todo tempo confronta a perspectiva patriarcal e branca de "dar voz aos subalternizados". O poeta aqui não dá voz a ninguém, não resgata nada. Em seu uniforme à prova d'água, caneta e cadernos de igual natureza, além da lanterna mais potente do mundo, Samyn mergulha na lama primordial onde nossa ancestralidade repousa e transforma em ponto versificado o que nos trouxe até aqui: a coragem, a capacidade de recriar, de gerar tecnologias de produção de infinitos.

Sumário

I. DESTERRO

Tumbeiro 18
Crias 19
Tricongo 20
Valongo 21
Engorda 22
Pretos novos 23
Banzo 24
Diáspora 25

II. CATIVEIRO

Senzala 28
Feitor 29
Açoite 30
Palmatória 31
Tronco 32
Pelourinho 33
Tomadia 34
Gargalheira 35
Golilha 36
Cabeças 37
Suplício 38
Pai João 39

III. ANCESTRALIDADE

Aqualtune, I 42
Ganga Zumba 43
Zumbi, I 44
Dandara 45
Andalaquituche 46
Felipa 47
Tereza 48
Zacimba Gaba 49
Lucas Dantas 50
Meia-Légua 51
Zumbi, II 52
Luzia Soares 53
Isidoro 54
Canção-de-Fogo 55
Luzia Pinta 56
Ahuna 57
Luiza Mahin 58
Luiz Gama 59
Zumbi, III 60
Aqualtune, II 61

IV. RESISTÊNCIA

Quilombos 64
Palmares 65
Cerca Real do Macaco . . . 66
Maravilha 67
Negras tigresas 68
Malês 69
Pai Manuel 70
Narciso 71
Ventre cativo 72
Lucas da Feira 73

Maquinez 74
Mulungu. 75
Quatro mulheres. 76
Pés descalços 77
Panteras 78
Coiteiros 79

V. HERANÇA

Sobreviventes, I 82
Memória. 83
Herança 84
Pretinhos 85
Sina 86
Pivetes 87
Quatro corpos. 88
Genocídio 89
Marquises 90
Sobreviventes, II 91

VI. LIBERDADE

I 94
II 95
III 96
IV 97
V 98
VI 99
VII 100
VIII 101
IX 102

I. DESTERRO

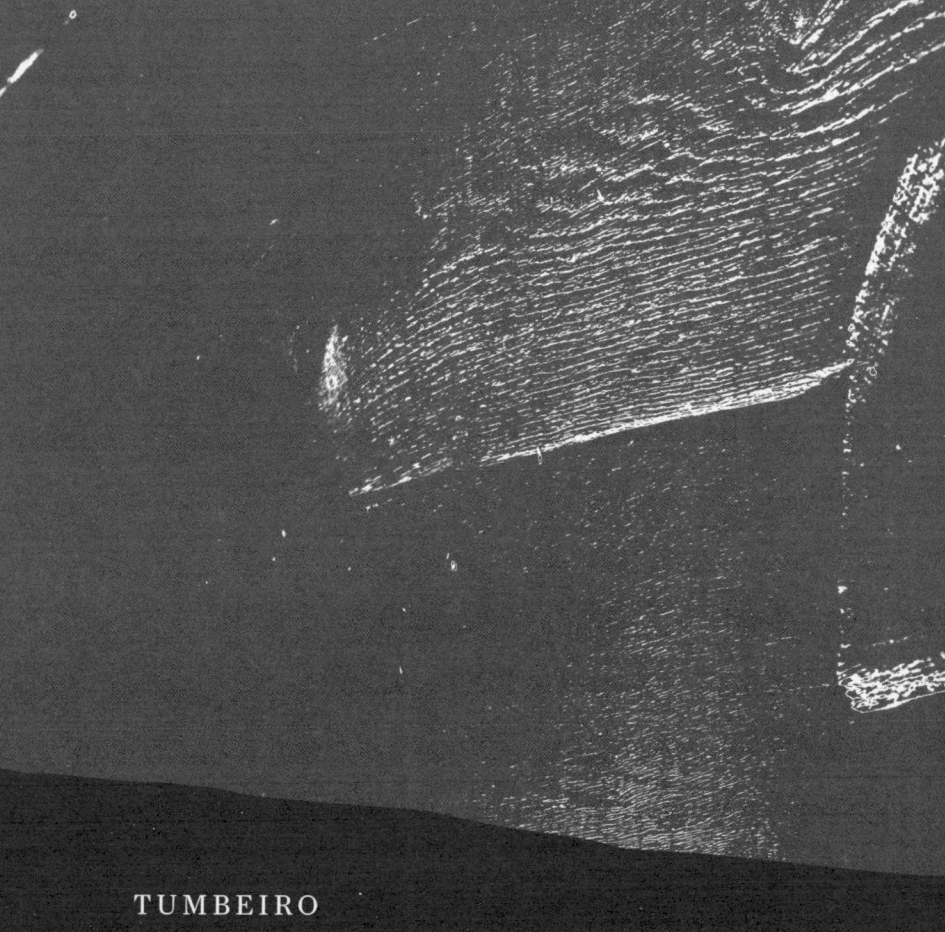

TUMBEIRO

No porão, amontoados,
os que jamais voltarão:

se não morrerem de fome,
se não morrerem de raiva,
se não morrerem de banzo,
pisarão a estranha terra
em que deixarão seu sangue –

que os que vierem depois
possam, enfim, regressar.

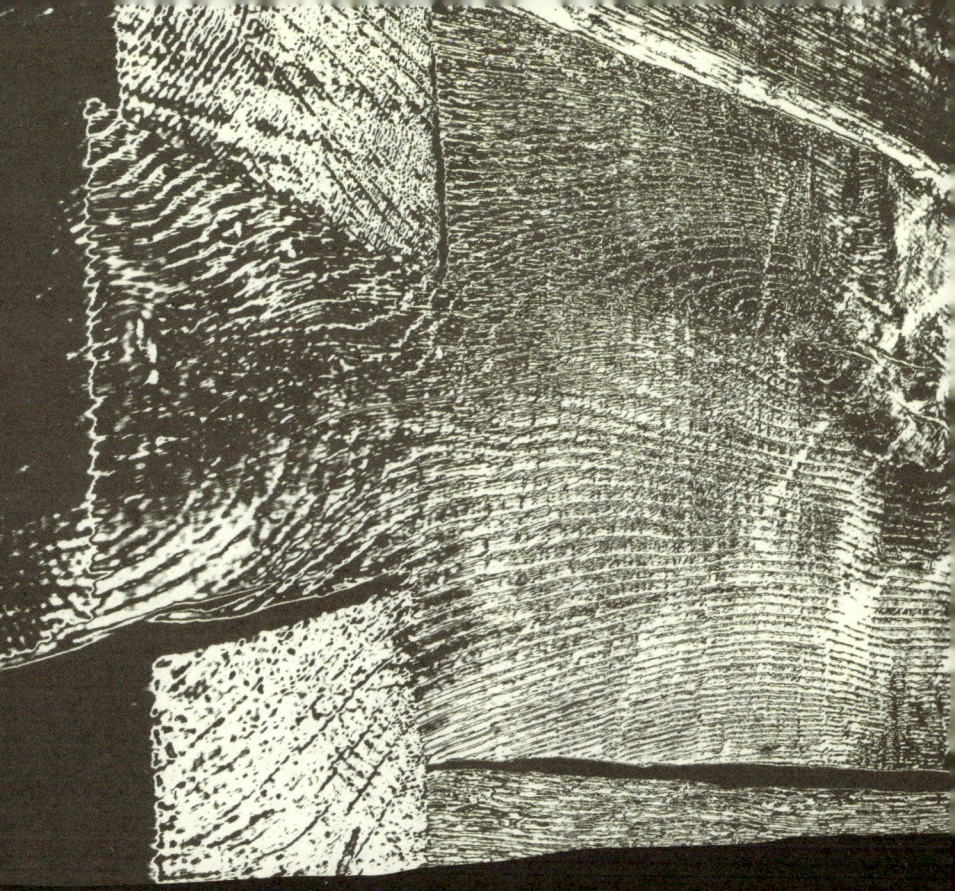

CRIAS

Embarcai também as crias:
as de peito e as de pé.
Pouco é o espaço que ocupam.
Pouco valem – estas, de peito,
costumam morrer facilmente;
as outras, que podem andar,
talvez sobrevivam. Que seja:
pouco é o espaço que ocupam.
Pouca a nossa despesa.

TRICONGO

Não de boi ou porco a carne
servida, nem de outro bicho.

Em cada pedaço salgado,
o gosto do irmão castrado
pelos negreiros cozido.

Em desespero, comem
os negros acorrentados.
Os brancos limpam os dentes,
gargalhando, saciados.

VALONGO

O que quiseres –
    meninos ou meninas,
    homens ou mulheres,
o que quiseres.

    Magros,
    de olhar vazio,
    os corpos marcados a ferro –
o que quiseres:
    examina-os,
    apalpa-os,
    mede-os
– o que quiseres.

Compra-os – se quiseres,
    quantos quiseres:
há muitos à venda –
    corpos negros,
    vidas negras.

Faz o que quiseres – mas esquece
    que têm nomes,
    que têm alma
    e um passado.

Faz o que quiseres.

ENGORDA

Comei, pretos, comei
esta farinha, as laranjas,
este feijão, as bananas,
comei bastante, comei –

comei pretos, comei,
até que fiqueis saciados:
vossos corpos, mais pesados,
mais valerão no mercado

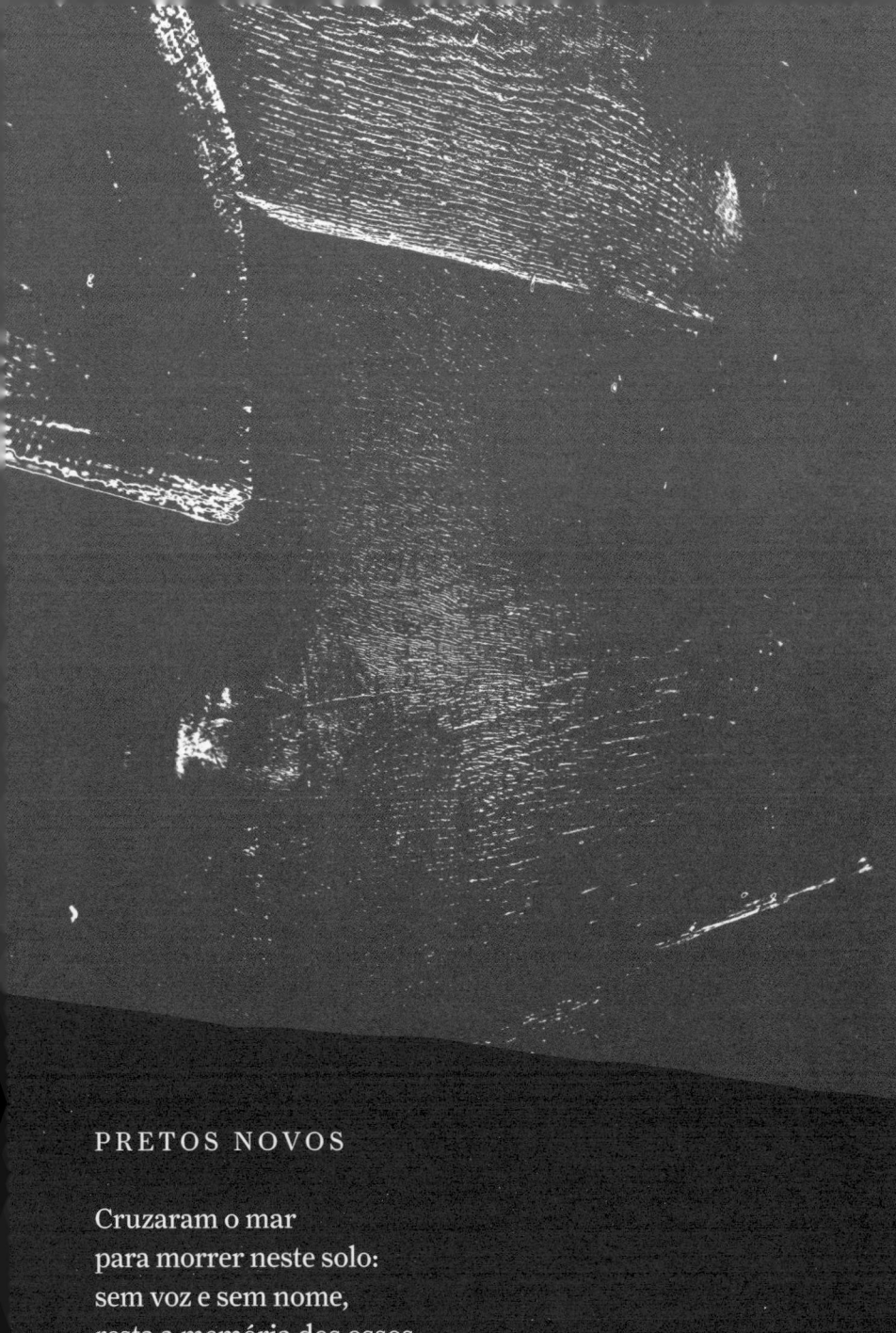

PRETOS NOVOS

Cruzaram o mar
para morrer neste solo:
sem voz e sem nome,
resta a memória dos ossos

BANZO

Rejeito o que me dás por complacência:
que o teu favor me seja indiferente.
Deixai-me entregue ao banzo – e não tenteis
saber a minha dor: o peito negro
resguarda o que não cabe na alma branca.

A vida nada vale escravizada.

Deixai-me descansar –
                        eternamente.

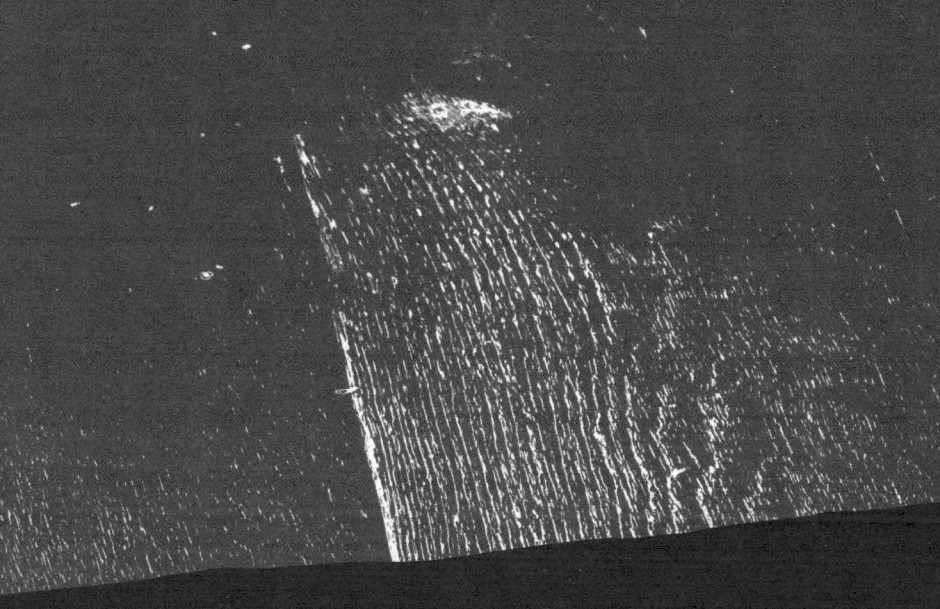

DIÁSPORA

Não esqueçais
que o sangue que rega vossa pele
nasce em terras distantes:

salgado pelo mar,
corre ainda rubro
em vossos negros veios.

Não esqueçais
que de nossa resistência
nasceu vossa liberdade:

cumpre ainda lutar –
tomai armas. Que possais
travar o justo combate.

II. CATIVEIRO

SENZALA

Nesta casa sem janelas,
com as portas bem trancadas,
habitam muitas famílias –
muitas vidas amontoadas.
Aqui se ouvem muitas línguas,
aqui histórias são narradas,
amizades são tecidas,
aqui vidas são geradas.

Nesta casa sem janelas,
com as portas bem trancadas,
vivem nossos ancestrais
existências ignoradas:
sobre eles, que sabemos?
Muito pouco – quase nada.
Seus herdeiros, resistimos –
nós, os filhos da senzala.

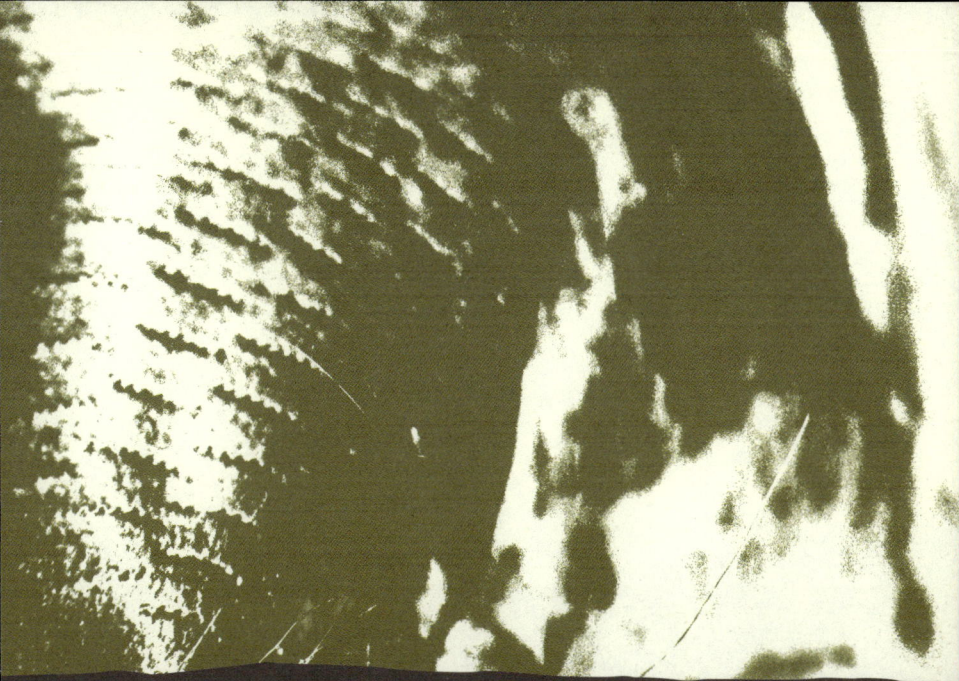

FEITOR

Muito acurado este ofício:
há que medir as pauladas;
há que empregar o chicote
sempre na medida exata.

Usar, com destreza, o cipó
nos bêbados e arruaceiros –
que se imponha a disciplina,
seja o trabalho bem-feito.

Melhor feitor é aquele
ponderado e bem preciso:
preservar o escravo caro,
prevenir o prejuízo.

AÇOITE

Cinquenta açoites por dia
pela fuga imaginada;

cinquenta açoites por dia
pela revolta calada;

cinquenta açoites por dia
pelo crime inexistente;

cinquenta açoites por dia
por ousar saber-se gente;

cinquenta açoites por dia
por ter no peito a coragem;

cinquenta açoites por dia
por querer a liberdade.

PALMATÓRIA

Mostra as mãos – secas, rachadas,
mostra as mãos – o sangue, as bolhas;
    mãos escuras, deformadas,
    marcadas pelo castigo –

torce os dedos, forja garras,
faz do ódio a maior força –
    abre o peito a toda a raiva:
    mata estes brancos malditos,

TRONCO

Arde o corpo sob o sol:
há quanto tempo ali está,
ninguém sabe – o corpo exposto
aos insetos; sangue escorre
das feridas, como veios
que se fundem com o suor.

Como uma estátua de carne,
brilha, negro, sob o sol –
como uma trêmula estátua
consumida pela dor;
queimada pelo calor
que rasga a pele, inclemente.

Como uma estátua – que vive:
que insiste, ainda, em viver –
fitando, com olhos vazios,
tantos homens que ao seu lado
passam, indiferentes.

PELOURINHO

Corre como um rubro rio
sangue sobre o corpo negro:

morto, há de enfim ser livre –
já não sente dor ou medo.

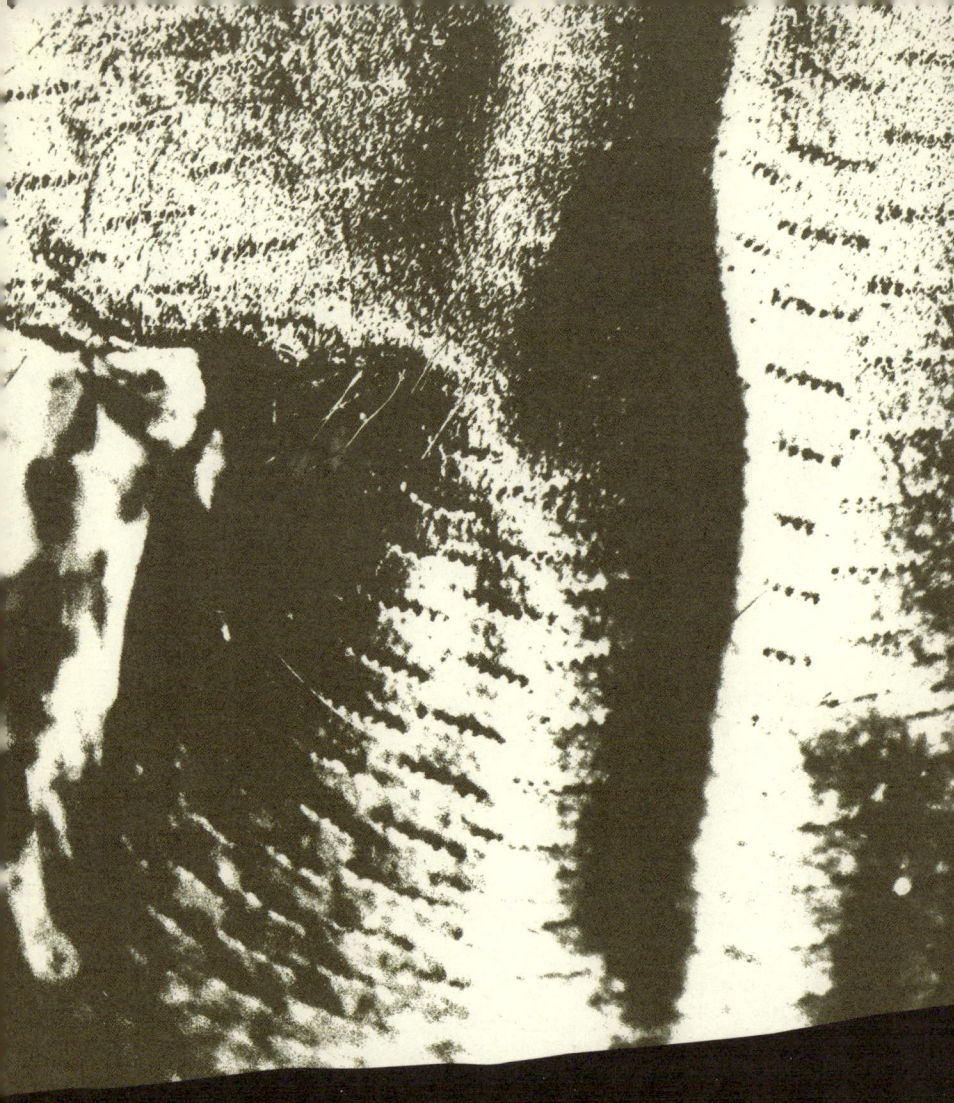

TOMADIA

Por um saco de moedas,
ao senhor entrega o irmão:
quanto vale o que enriquece
às custas da traição?

GARGALHEIRA

Pese esta coleira em seu pescoço:
    que seus passos sejam curtos,
    que o ruído o denuncie,
    que impossível seja a fuga.

Breves sejam os seus passos:
tão breves quanto o seu fado.

GOLILHA

    Porque quis fugir,
carrega o colar de ferro;

    porque quis fugir,
carrega as pesadas correntes:

    porque quis fugir,
seu mundo é ainda menor.

Pior é, contudo, a dor
    de ainda querer fugir.

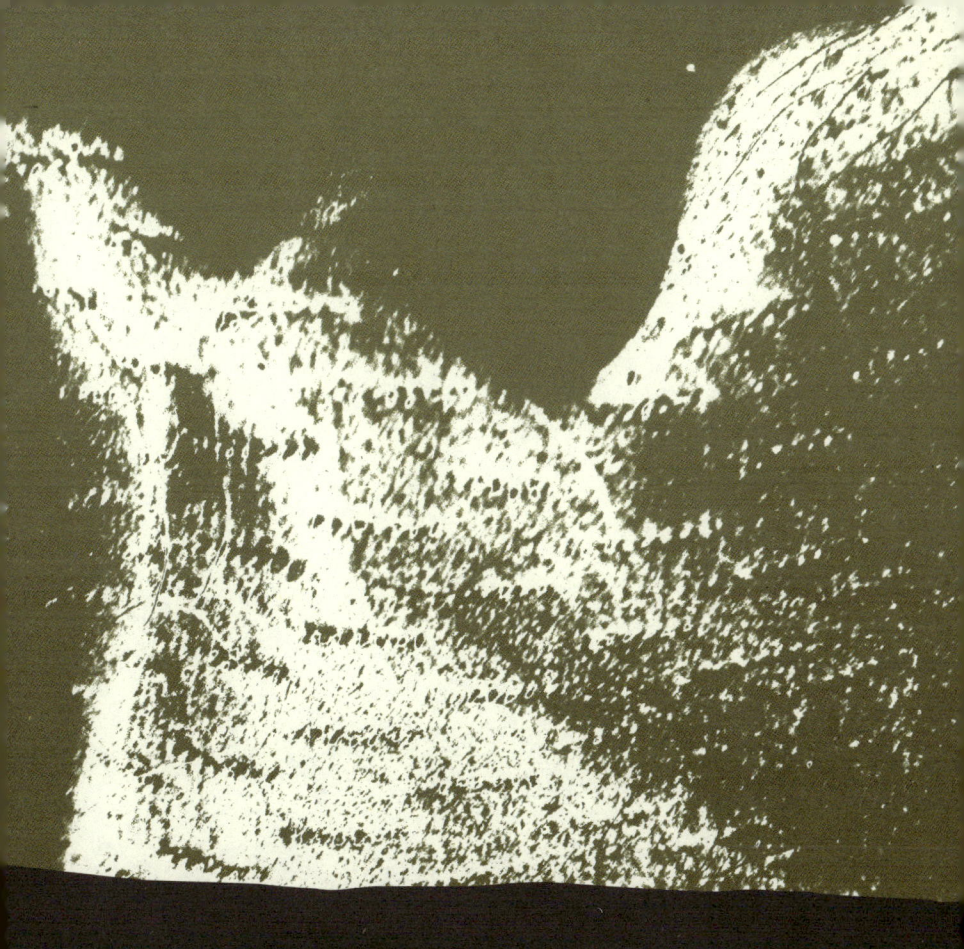

CABEÇAS

Trazemos as cabeças
dos pretos que fugiram:
dai-nos a recompensa.

Usai-as como exemplo
aos outros; ostentai-as;
o que quiserdes, fazei –

a nós, basta o dinheiro.

SUPLÍCIO

Eu vi o suplício do negro –
o líder dos pretos fugidos:

passou aqui, por esta rua,
nas costas levava um cartaz –
"chefe de quilombo", dizia;
da infâmia tirava o orgulho,
    e sorria, sim, sorria.

Altivo, passava entre as gentes,
o corpo ferido, marcado,
e um rastro de sangue deixava;
e olhava nos olhos dos brancos,
    olhava, sim, olhava.

Sabia o destino traçado –
a fuga, sabia impossível:
a morte entre mil vergastadas;
contudo, brioso marchava,
    marchava, sim, marchava.

Mas medo – medo ele não tinha.
Olhava bem dentro dos olhos,
olhava bem dentro de nós –
e dentro de nós via o medo.
Altivo, ele olhava.
        E sorria.

PAI JOÃO

Tu, quilombola às avessas,
pai de toda a traição;
fantasma das almas negras,
pesadelo e maldição –
tu, negação da luta,
companheiro da opressão;
tu, sinistra e infausta sombra,
branca farsa: Pai João.

III. ANCESTRALIDADE

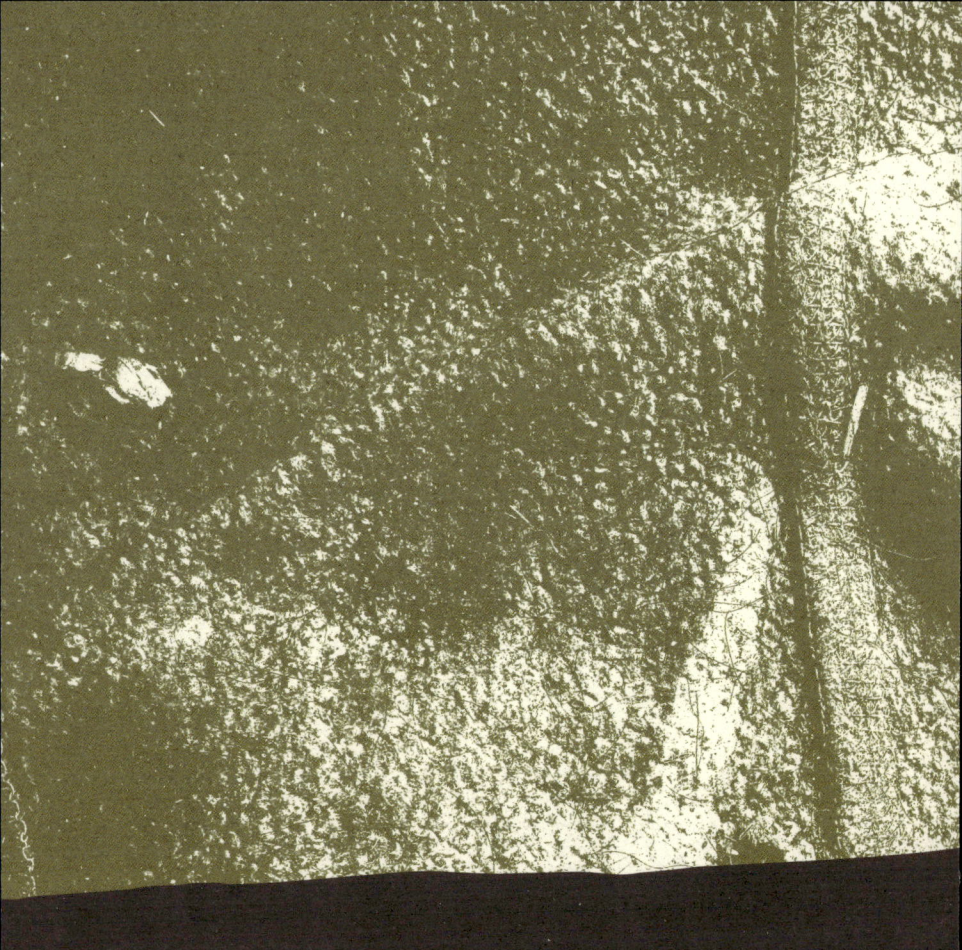

AQUALTUNE, I

No início estavas. E sem ti, rainha,
que seríamos nós? Por isso, agora,
a teus pés nos prostramos: nossas vidas
a ti devemos. Ouve, nesta hora,

este canto solene: o oferecemos
à memória de tua potestade.
Teu sangue corre em nós: bem o sabemos.
Pariste os pais da nossa liberdade.

GANGA ZUMBA

Recusamos o futuro
que sonhaste para nós.

Que durmas o sono leve
dos bons. Que não te maculem
as palavras dos que viram medo
e covardia nos teus olhos:
guardemos tua memória.

Quando um dia regressares,
possas dar-nos teu perdão

ZUMBI, I

Nasce toda a resistência
do amor à liberdade.

DANDARA

Farei nesta terra o reino
roubado ao meu destino:

    vinde a mim os desterrados.

A vós, que vireis mais tarde,
deixo a herança desta luta –

e o dever de jamais servir
aos que regaram a terra
com o sangue dos nossos irmãos

ANDALAQUITUCHE

Irmão, não te entregaste: tua audácia
conosco permaneça. Fracassamos?

Se a luta é justa, a queda é sempre falsa.

Se a luta é justa, a morte é um mero engano.

FELIPA

A que do nada soube fazer tudo,
a que escudo se fez de nossa raça:
a que se ergueu, altiva e inabalada,
e liderou trezentos contra o mundo,

TEREZA

Rainha, não por acaso –
apenas cumpriu sua sina.
Sobranceira, soberana,
prisioneira não seria:
morressem seus guerreiros,
morresse o Quariterê –

Tereza, a nossa rainha,
escolheria quando morrer.

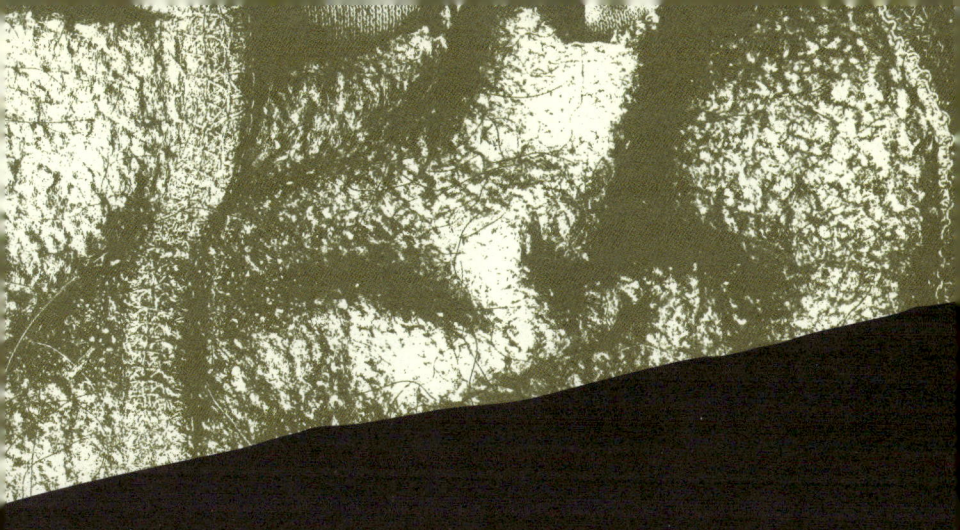

ZACIMBA GABA

Esta princesa que as noites passa em claro,
sonhando com as terras que não mais verá
(mas que não chora: bem conhece a sina
que lhe foi traçada pelos negros deuses) –

esta princesa tem nas mãos uma serpente,
e a ergue, como um cetro, diante daqueles
que a fitam, à espera do gesto solene.

Esta princesa que assim, tão impávida,
mais se assemelha a uma deusa africana,
aponta, em silêncio, para a grande casa
onde o senhor, enfim, sucumbe às dores.

     (É quando irrompem os súditos,
     em festa e gritos de júbilo.)

Tem a bênção dos bons deuses
quem mata seus senhores.

LUCAS DANTAS

Eu, Lucas Dantas, recuso
a unção que vós me ofereceis.
Matai-me – se assim desejais;
se a morte eu, de fato, mereço.
Mas não me arrependo. Lutei
por não suportar a opressão.
Matai-me – e deixai-me morrer;
mas não, não aceito esta unção

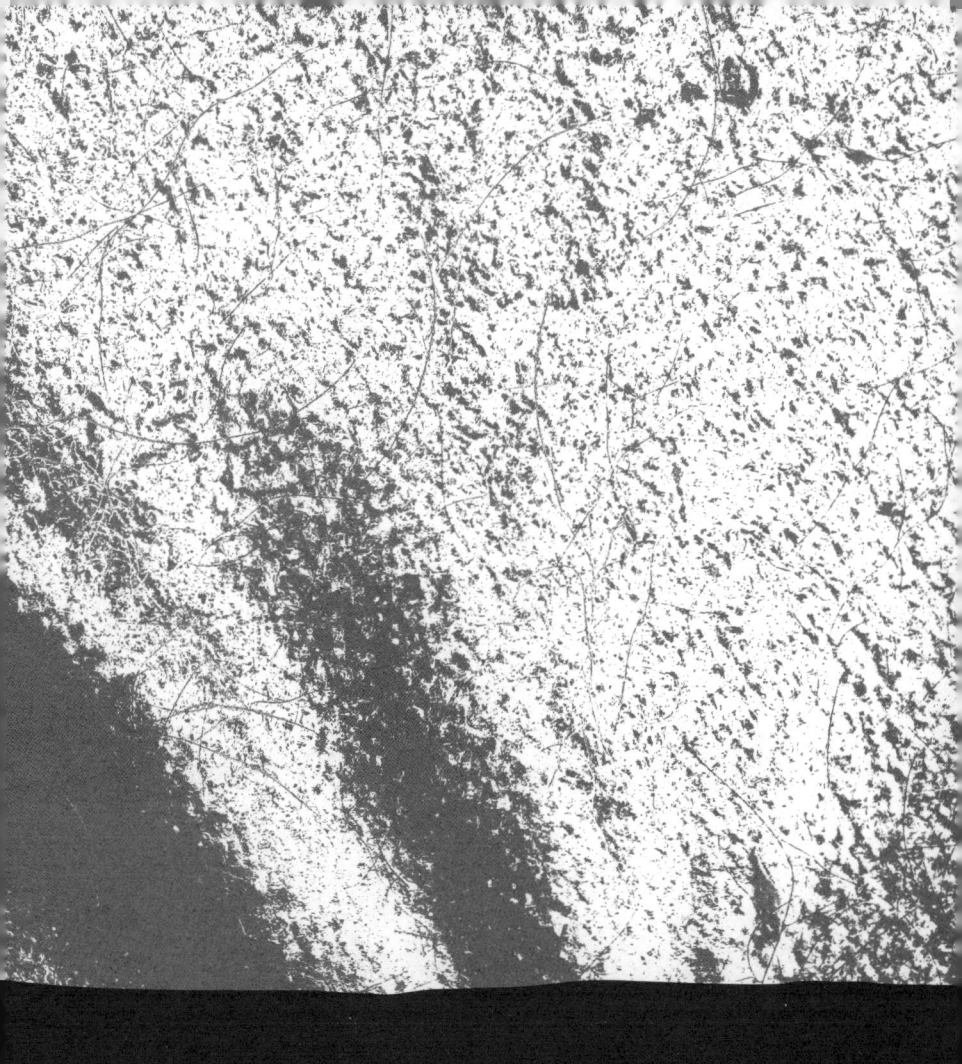

MEIA-LÉGUA

Mataram-me – e eu voltei,
assim como um negro Cristo.

Valei-me, são Benedito:
até que me queimem vivo,
meus irmãos libertarei

ZUMBI, II

Quando não há trégua possível,
recuar e morrer é o mesmo.

LUZIA SOARES

Confesso, senhores: se eu pudesse,
vossas almas decerto entregaria
ao pior dos seres infernais.
Contudo, senhores, desconheço
demônio que em maldade vos supere:
se algum inferno existe, é o que erigistes
nas terras que vós, brancos, governais.

ISIDORO

Não vos chamarei senhores:
minha vida a Deus pertence.
As riquezas desta terra
não vos darei; fazei-me mártir –

eleve-me o povo à glória;
aguarda-me a eternidade

CANÇÃO-DE-FOGO

Não como o lusitano:
mais que feroz guerreiro,
um temido africano
trazido por negreiros –

pretos que à noite espreitam:
que capitão do mato
ousaria prendê-los?

Temem o feiticeiro:
protege-os Viriato.

LUZIA PINTA

Senhores, nenhum crime cometi:
ou é crime fazer o que aprendi
com minha mãe, em tempos já distantes,
nas terras das quais fui trazida à força?

Senhores, se de fato sábios sois,
por que vos comportais como ignorantes?
Se bruxa jamais fui, por que insistis?
Por que me sujeitais a tantas dores?

Senhores, devolvei a liberdade
a quem jamais na vida fez maldades:
quem crimes cometeu foram aqueles
tão brancos como vós, cruéis senhores.

AHUNA

Por Deus e pelos homens,
maioral foste eleito:
sonhaste com uma terra
inteira de africanos –

não era ainda o tempo.

Agora, és o mistério
que habita na memória

LUIZA MAHIN

Recuso este deus dos brancos.
Recuso este deus de mentiras
 que ordena a escravidão.

Recuso-o – por mim e por nós.

Com as nossas próprias mãos,
tudo o que ele (não) criou
 reduziremos a pó.

LUIZ GAMA

Concedo a vós, irmãos, a liberdade:
se um dia eu me fiz livre,
foi só para que pudesse
                também vos libertar.

Que esteja, em meus escritos, a mensagem
que nos mantenha unidos:
enquanto houver escravos neste mundo,
                justiça não haverá.

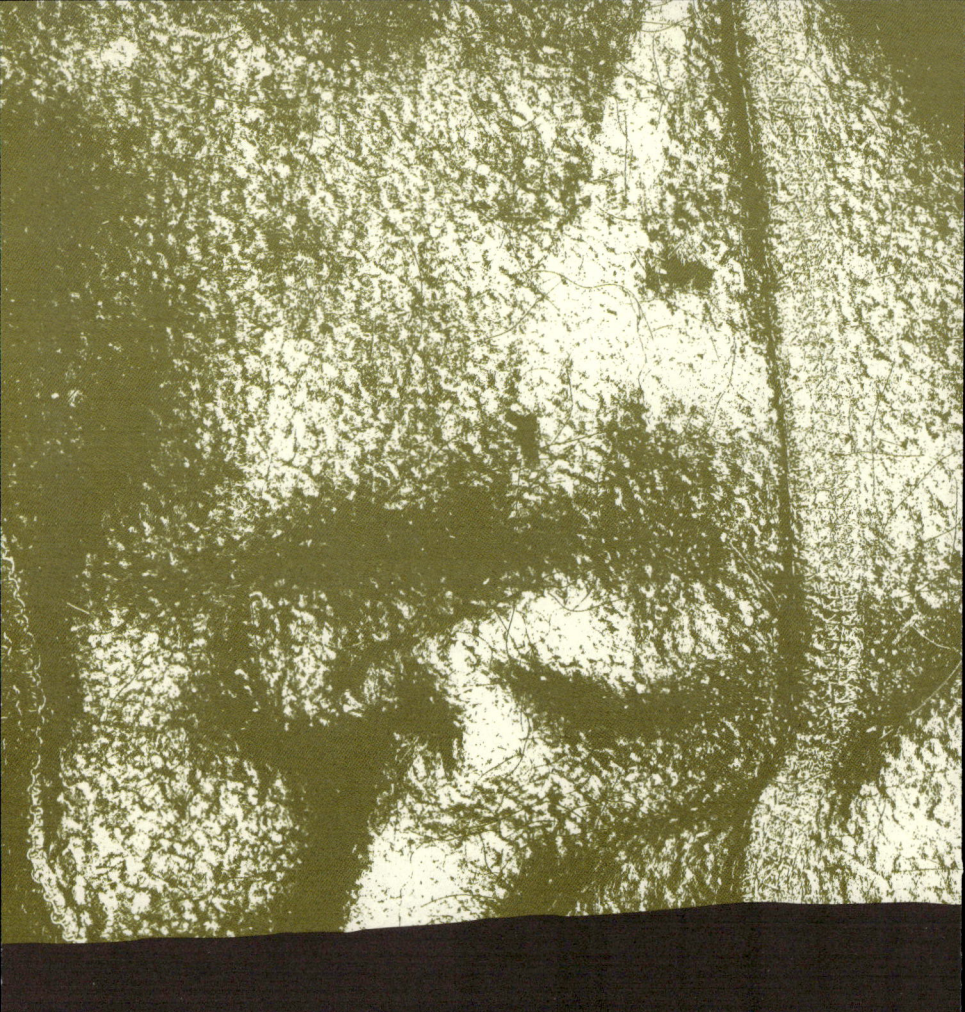

ZUMBI, III

Minha cabeça exposta,
para estes negros, não será
nunca um sinal de derrota.

Degolado, hei de cantar
ainda a nossa vitória:

AQUALTUNE, II

Quanto sofreste quando, na velhice,
viste o quilombo ardendo em meio às chamas?
Choraste, com teus olhos enrugados?
Sentiste raiva? Quiseste vingança?

Depois, quando morreste, em que pensavas?
Talvez, quando fechaste os olhos tristes,
dormiste para sempre, mãe, rainha,
sonhando ver teus filhos, enfim, livres

IV. RESISTENCIA

QUILOMBOS

De sobre os nossos ombros
o jugo retiramos:
entre nossos irmãos
erguemos nosso lar.

Deixamos os troncos,
chegamos aos quilombos –
havemos de lutar.

PALMARES

Os olhos brancos, quando contemplam,
não conseguem ocultar o pasmo:
parece, sim, uma pequena África –
embora ali não haja apenas pretos:
compartilhamos nossa liberdade.

Os olhos brancos, trêmulos, estáticos,
fraquejam, mas não podem desviar-se:
é bela, sim, esta pequena África,
nascida sob o nome de Palmares,
que se oferece como um espetáculo.

Não viram, os olhos brancos, a grandeza
desta nação que erguemos, soberana,
na qual pudemos ser livres, um dia;

somente viram sua própria inveja:
pelo ódio cegos, deram-se à vingança –
mais fortes o rancor e a covardia.

CERCA REAL DO MACACO

Saudemos os que regem o mocambo
maior desta república sem par:
com eles, haveremos de lutar –
que não nos assujeite o poder branco.

MARAVILHA

Arde em chamas a cidade,
correm negros para a mata:
os brancos que ali chegarem
não encontrarão mais nada.

Nos vestígios do quilombo,
ruínas da Maravilha:
feito em cinzas este sonho –
mas de sonho é feita a vida

NEGRAS TIGRESAS

São como negras tigresas:
cercam, ferem e laceram
os que delas se aproximam.

Conhecem as artes da espreita –
como negras tigresas,
sabem fazer do silêncio
sua senda e seu abrigo.

Ocultam-se pelas matas –
como negras tigresas,
trazem garras afiadas;
sabem sentir o perigo.

Tigresas – jamais escravas:
negras feras indomadas,
sempre à caça do inimigo.

MALÊS

Seja aqui nossa nação:
que a fé que nos enlaça
redima este solo estranho.

Entregamos a Deus nosso fado:
sejam outros os escravos –
nós, o povo soberano.

PAI MANUEL

Com vós, Pai, lutaremos;
e, se preciso for,
com vós, Pai, morreremos –

      seja nossa a vossa dor.

NARCISO

Mil e duzentos açoites –
restam pedaços de um corpo.

Recolham os resquícios de carne:
atrás deste, virão outros.

VENTRE CATIVO

Por amor, estas mulheres
jamais conceberão:
arrancarão as sementes,
uma, duas, vinte vezes –
    dos ventres, não nasçam vidas
    fadadas à escravidão.

Por amor, estas mulheres
matarão suas crianças:
que morram ainda inocentes,
que nunca lhes toque o horror –
    que vivam a breve existência
    de quem nunca teve senhor.

LUCAS DA FEIRA

O que com as negras fizestes
com vossas mulheres farei:
seu corpo há de ser o campo
em que vingarei meus desejos.

Que, ao virdes o horror, vos lembreis
das negras que à força tomastes:
o maior poder vem do medo,
se o mundo desconhece as leis

MAQUINEZ

Matei, sim, José Ferreira:
matei, sim, o meu senhor.
Matei-o – para ser livre:
o que liberta mais que o amor?

MULUNGU

Como pude, resisti.
Combati como um guerreiro;
agora, sei-me vencido.

Dai-me a morte que mereço:
suspendei-me nesta forca –
nunca mais o cativeiro.

QUATRO MULHERES

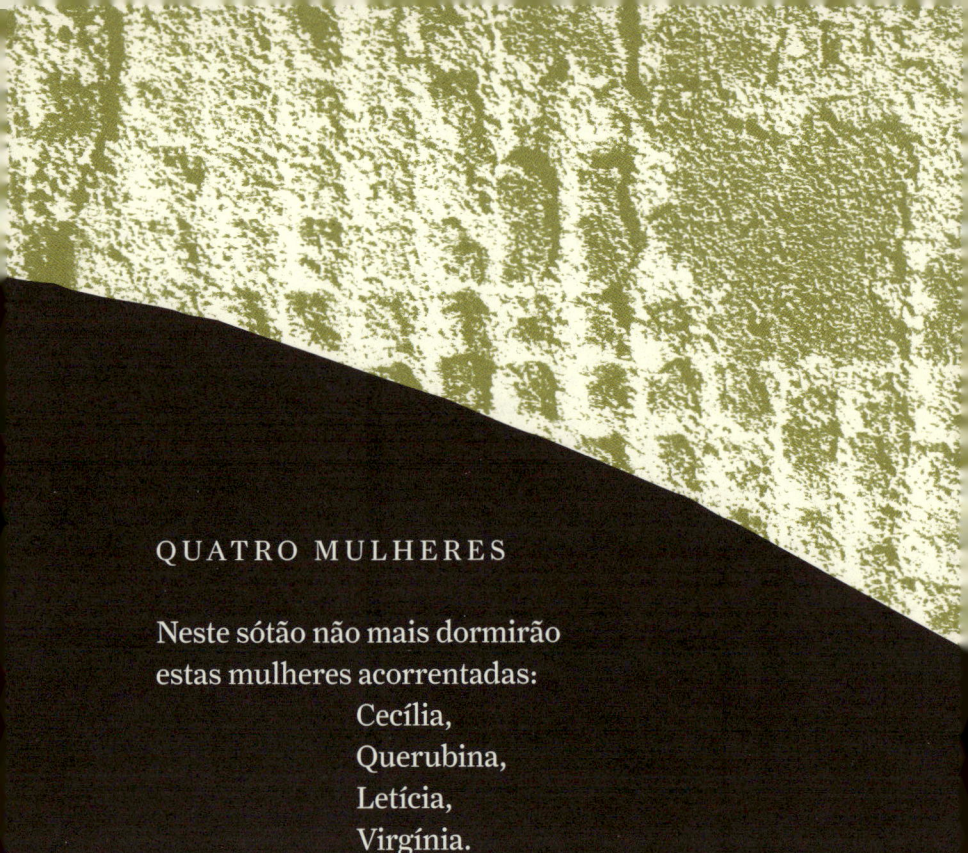

Neste sótão não mais dormirão
estas mulheres acorrentadas:
        Cecília,
        Querubina,
        Letícia,
        Virgínia.

Estas quatro escravizadas
sufocaram sua senhora,
Anna Joaquina Carneiro Pimenta –
conhecida como devota,
dada às obras de caridade,
que aplicava infindáveis castigos
com chicotes e palmatórias,
às mulheres que a serviam.

Pagarão estas quatro mulheres
por terem rompido as correntes;
pagarão estas quatro mulheres
pelo crime que não cometeram

PÉS DESCALÇOS

Com nossos pés sentimos esta terra:
com nossos pés, escuros e descalços.
Mas somos muitos. Nossos pés, inchados,
hão de juntos marchar, até que o jugo
que nos oprime seja levantado.

Então, avançaremos pelo mundo,
calcando em nossos pés vossos sapatos

PANTERAS

Indóceis estas negras que aqui vês:
não reconhecem regras ou senhores –
fizeram seu refúgio nestas terras
onde os brancos jamais hão de reinar.

Lutar é não ceder a vãos temores.

Panteras não se deixam subjugar

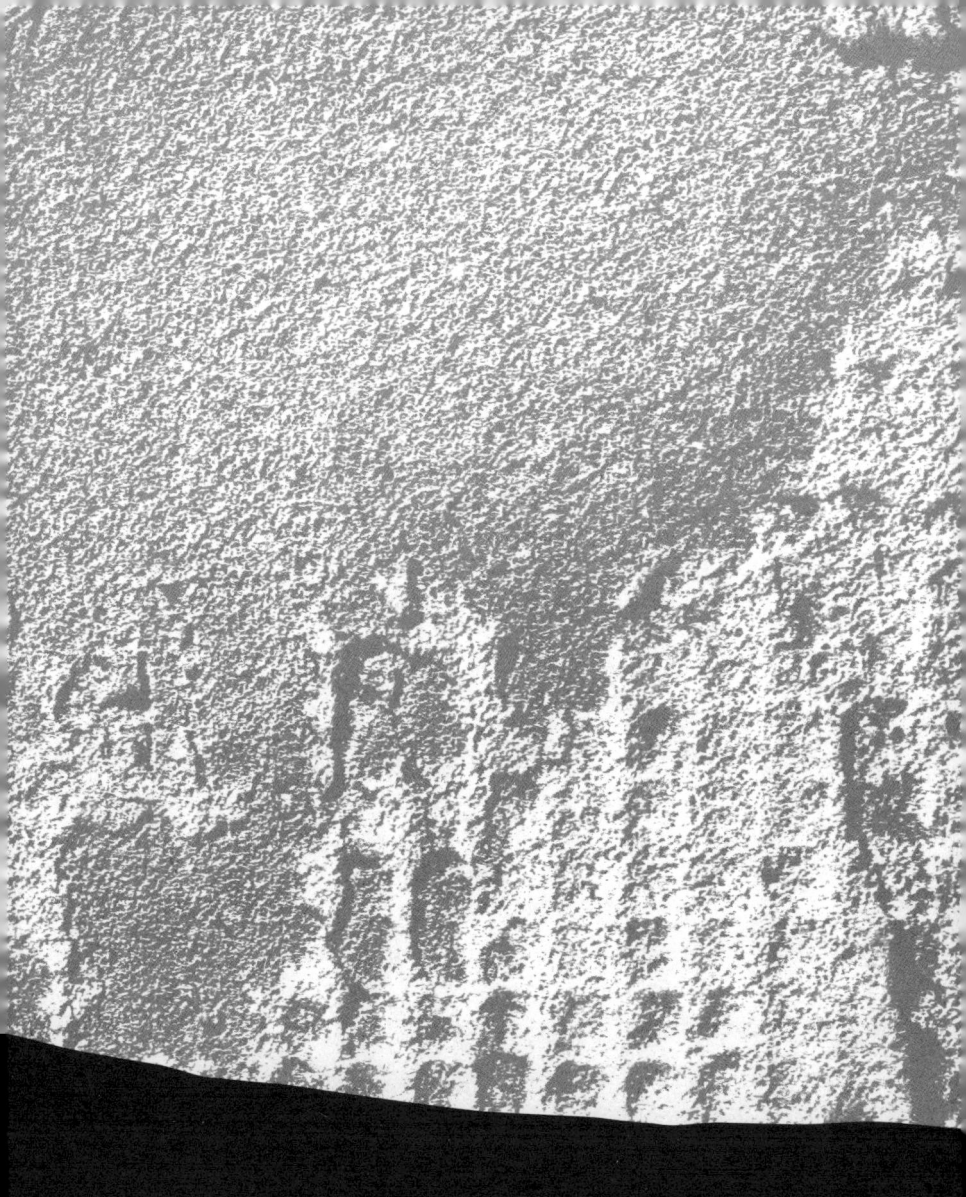

COITEIROS

Que não pese esta infâmia em nossos ombros:
lutemos contra o horror que rege o mundo.
Com nossas mãos façamos o futuro:
que em nossas casas nasçam mil quilombos.

V. HERANÇA

SOBREVIVENTES, I

Perseguidos, acossados,
nas cadeias e senzalas,
      sobrevivem:

nas ruas e nos barracos,
nas matas e nas esquinas,
      sobrevivem:

ao ódio e ao genocídio,
à miséria, à fome, à polícia,
      sobrevivem:

porque insistem,
      sobrevivem.

MEMÓRIA

Dos tempos que recordamos,
restam apenas vestígios:
vivemos entre os abismos.

Não mais somos vossos cativos,
mas nada esqueceremos –
nossa memória é profunda:
fazemos da dor nosso alento

HERANÇA

Nos filhos dos teus filhos
ainda pesarão as correntes.

Nos netos dos teus filhos
ainda pesarão as correntes.

Nos netos dos teus netos
ainda pesarão as correntes.

PRETINHOS

Vede todos esses pretinhos –
tão parecidos com as crias
que, trazidas pelos tumbeiros,
por acaso sobreviviam.

Vede todos esses pretinhos
espalhados pela cidade:
uns roubando pelas ruas,
outros entregues ao crack.

Uns pretinhos vão à escola,
ainda que não botem fé –
assistem às aulas, fazem provas,
sem saber para que servem.

A quem importam os pretinhos?
Desde sempre, indesejados –
filhos da raça maldita,
deixados na vida ao acaso.

Assim ficam esses pretinhos,
assim levam as suas vidas –
brincando, correndo, zoando,
driblando as balas perdidas.

Vede todos esses pretinhos,
vivendo a existência tão leve –
tirando onda com tanta gente
que lhes deseja a vida breve.

SINA

Cada tiro rasga a pele
como um golpe de chibata –
perfurado, o corpo inerte
cumpre a sina de uma raça.

PIVETES

Correndo no meio da rua;
no sinal, vendendo bala;
pichando o banco do ônibus;
fazendo arrastão na praia;
pulando o muro da escola
(é mais legal jogar bola) –

pivetes, por todos os lados,
deixados assim, ao acaso,
invisíveis para o sistema –
reto se são um problema

QUATRO CORPOS

Na pele negra, enrugada,
as marcas do desespero –
quatro mães angustiadas;
quatro corpos sobre os leitos.

Quatro vozes, um só pranto:
"Meu filho era trabalhador."
Quatro corpos, trinta tiros:
quatro peitos, uma dor.

Quatro corpos, quatro alvos
para a mira da polícia –
quatro vidas; uma sina:
quatro pretos, alvos fáceis.

Negros, ontem escravizados;
hoje, negros explorados –
sempre o mesmo ao poder branco:
quatro vidas descartáveis.

GENOCÍDIO

Vis serviçais do Estado,
instrumentos do genocídio,
com as armas carregadas
e espírito de assassinos:

perseguidores dos pretos,
facínoras adestrados,
capachos da casa grande:
capitães do mato fardados

MARQUISES

Uma noite que passa lenta,
fria, pesada – porque chove
e os cobertores e os jornais
não aquecem os nossos corpos.

Uma noite que dura séculos –
tantas gerações abrigadas,
empilhadas sob as marquises.
Uma chuva que nunca para.

Enquanto durar esta noite,
faremos aqui nosso lar –
uns aos outros, corpos unidos
pela cor e pelo destino.

SOBREVIVENTES, II

Caveirão, crack, chacina,
pó, milícia, bala perdida,
tumbeiro, tronco, capitão do mato,
grupo de extermínio, racismo velado:

choque, açoite, desemprego,
estupro, assédio, raiva, medo,
vergalho, auto de resistência –

temos o vício da sobrevivência.

VI. LIBERDADE

I

Nenhum pássaro canta sozinho:
há sempre um outro a ouvi-lo,
mesmo que oculto entre as folhas
ou invisível entre as árvores.

Pássaros negros não voam sozinhos:
vivem sempre em revoada.
Assim, juntos, enegrecem os céus,
abrindo na alvorada outros caminhos

II

No deserto que nos deixaram,
                          verdejaremos –

dos espinhos que nos rasgaram,
                          floresceremos.

III

Nesta terra banhada de suor e sangue,
nesta terra, que abriga os ossos
                dos que nos antecederam,
nesta terra nós faremos nosso reino –

e, quando enfim nos erguermos,
cada instante de silêncio que nos foi imposto
renascerá como um cântico solene –

e cada vida negra que nos foi roubada
renascerá para habitar um novo mundo

IV

E houve quem julgasse
que para sempre ficaríamos mortos:
assim nos queriam.

Não viam, em seus pobres espíritos,
que aprendemos a renascer com os ancestrais
que habitam, desde sempre, os nossos corpos.

Porque hoje nos veem imensos,
recolhem-se, trêmulos de medo,
temendo a nossa vingança –
isso ficará para mais tarde.

Temos tempo. Muito tempo. Todo o tempo.
Construímos nossa própria eternidade.
Nossa raça se alimenta de esperança.

V

Não seja o silêncio
maior que a sede
de liberdade.

Que não te entregues
à dor e ao medo:
busca a verdade.

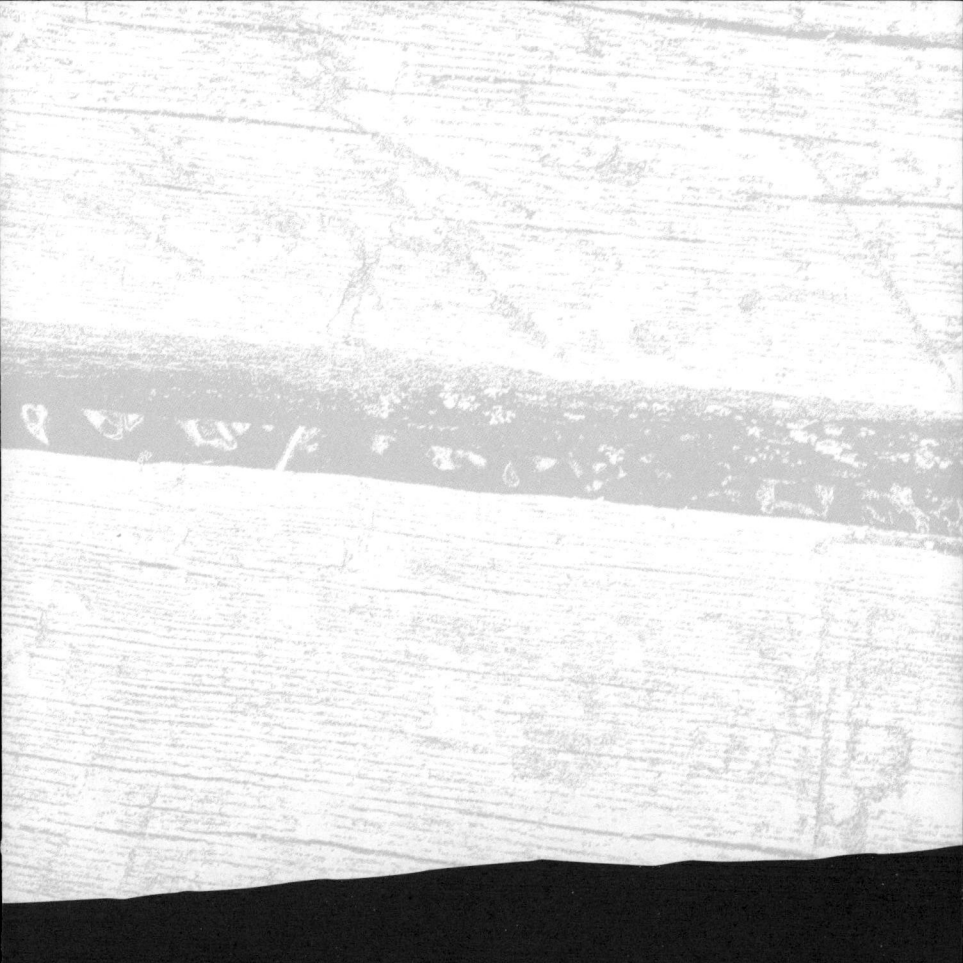

VI

A voz que te chama em sonho
não é sonho: é a voz daquela
que te embalou quando não lembras,
que continua à tua espera –

quando virás, filha perdida?
A mãe te aguarda: o negro colo
em que dormiste, tão pequenina,
vem acalmar teu adulto sono.

VII

Com cantos e danças
celebraremos a liberdade:
porque mordaças nos calavam,
porque grilhões nos prendiam os pés,
porque a alegria nos era roubada.

Tragam tambores,
limpem o terreno,
preparem a festa:
nossos corpos, leves, despidos,
tingirão de negro o mundo –
    que as estrelas nos acompanhem

VIII

As cicatrizes que matizam nossa carne
não nos deixam esquecer o que sofremos –

    mais forte é a consciência da vitória.

Vistamos nossas pinturas,
símbolos, insígnias, tatuagens:

guerreiras e guerreiros triunfantes,
ergamos as cabeças dos senhores
nas pontas de mil lanças afiadas –

    que as gerações vindouras as contemplem,

IX

Falso o poder que almejais
se do outro negais a humanidade:

jamais podereis conhecer
isso a que chamamos
             LIBERDADE.

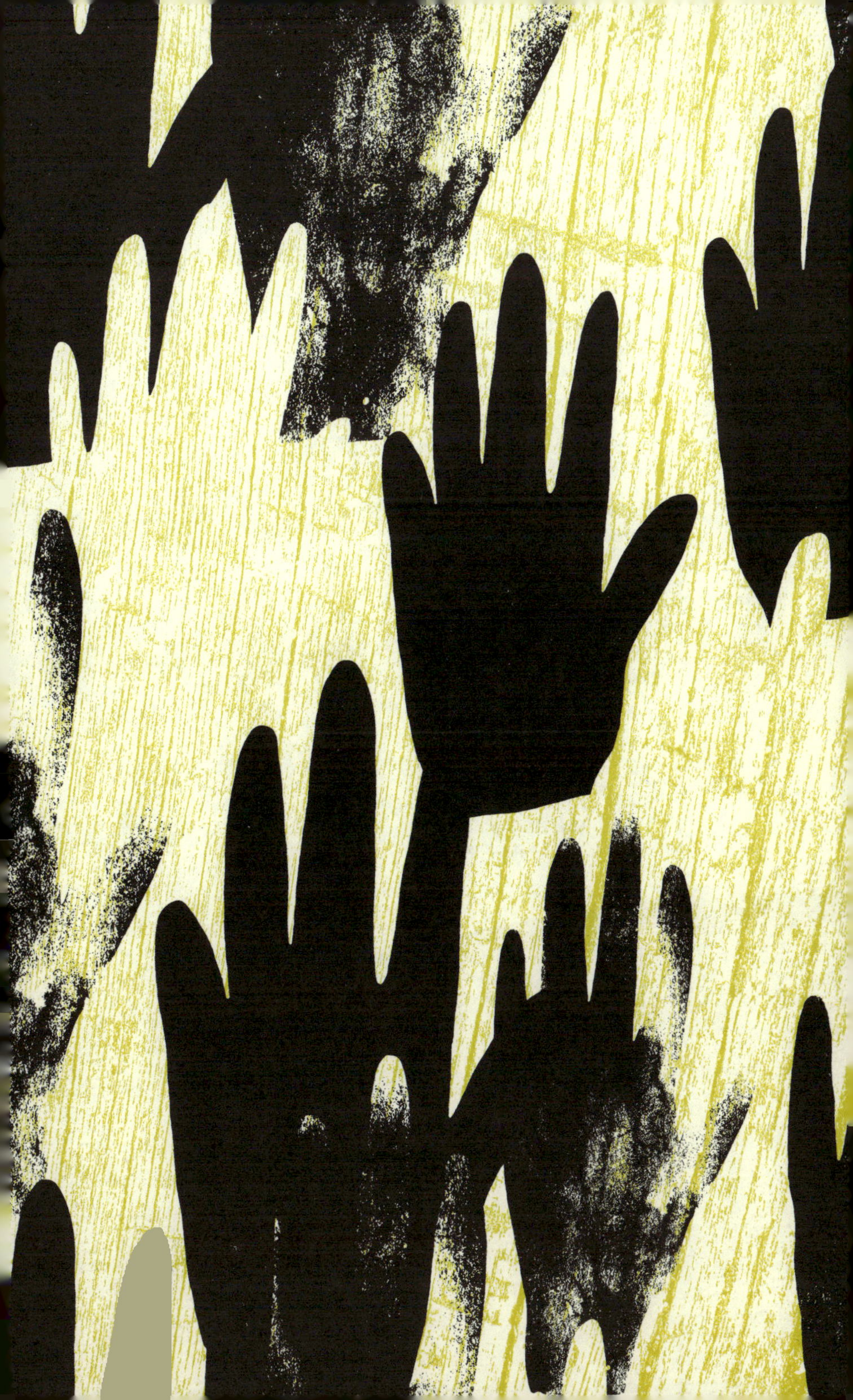

Copyright © 2020 Henrique Marques Samyn

Todos os direitos reservados à Editora Jandaíra, uma marca da Pólen Produção Editorial Ldta., e protegidos pela Lei 9.610, de 19.2.1998. É proibida a reprodução total ou parcial sem a expressa anuência da editora.

Este livro foi revisado segundo o Novo Acordo Ortográfico da Língua Portuguesa.

DIREÇÃO EDITORIAL
Lizandra Magon de Almeida

COORDENAÇÃO EDITORIAL
Luana Balthazar

PRODUÇÃO EDITORIAL
Mariana Oliveira

REVISÃO
Bruno Vieira

CAPA, PROJETO GRÁFICO E DIAGRAMAÇÃO
Alberto Mateus

Maria Helena Ferreira Xavier da Silva/ Bibliotecária – CRB-7/5688

S193l	Levante / Henrique Marques Samyn. – São Paulo: Jandaíra, 2020.
	104 p. ; 21 cm.
	ISBN 978-65-87113-14-2
	1. Poesia brasileira - Escritores negros. 2. Literatura brasileira - Escritores negros. 3. Escritores negros - Poesia. 4. Negros na literatura. I. Título.

CDD B869.1

---

jandaíra
www.editorajandaira.com.br
atendimento@editorajandaira.com.br
(11) 3062-7909